迪士尼 流利阅读 第1级

DISNEY·PIXAR
海底总动员

童趣出版有限公司编　　人民邮电出版社出版
北　京

在澳大利亚东北部五彩斑斓的大堡礁群中，生活着一对夫妻——珊珊和马林。这会儿，他们正兴奋地注视着珊瑚礁洞里一窝即将出生的鱼卵。

奋 视 窝 卵

wǒ men hái méi gěi hái zi men qǔ míng zi ne　　　　shān shān duì mǎ lín

"我们还没给孩子们取名字呢。"珊珊对马林

shuō　　　wǒ xǐ huan ní mò zhè ge míng zi

说，"我喜欢尼莫这个名字。"

tā men yì biān kāi xīn de shāng liang zhe　　　yì biān zài hǎi kuí cóng zhōng kuài

他们一边开心地商量着，一边在海葵丛中快

lè de zhuī pǎo wán shuǎ　　tū rán　　yì tiáo suō yú chōng le guò lái　　　zāo

乐地追跑玩耍。突然，一条梭鱼冲了过来。"糟

gāo　　　mǎ lín gǎn jǐn chōng guò qù bǎo hù shān shān　　kě shì　　suō yú de wěi

糕！"马林赶紧冲过去保护珊珊。可是，梭鱼的尾

ba yòng lì de sǎo guò lái　　　mǎ lín lì kè shī qù le zhī jué

巴用力地扫过来，马林立刻失去了知觉。

shuǎ	gāo
耍	糕

děng mǎ lín xǐng lái shí   sì zhōu ān jìng de kě pà   tā yóu huí dòng li
等马林醒来时，四周安静得可怕。他游回洞里
yí kàn   shān shān hé hái zi men dōu bú jiàn le   wō li zhǐ yǒu yì méi yú luǎn
一看，珊珊和孩子们都不见了，窝里只有一枚鱼卵
le   yì méi shòu le diǎnr shāng dàn hái huó zhe de yú luǎn
了，一枚受了点儿伤但还活着的鱼卵。

"好了，好了，没事儿了，爸爸在这儿
呢。"马林非常小心地把鱼卵放在了自己的鳍
上，"我以后绝不再让你受任何伤害，尼莫。"

méi	jué	shāng
枚	绝	伤

cóng nà yǐ hòu   mǎ lín kāi shǐ jīng xīn hē hù tā de ér zi   ní mò
从那以后，马林开始精心呵护他的儿子——尼莫。

xiǎo ní mò de   xìng yùn qí   zài tā chū shēng shí shòu guo shāng   bǐ lìng yì biān xiǎo
小尼莫的"幸运鳍"在他出生时受过伤，比另一边小，

yóu qǐ lái yǒu xiē bèn zhuō   bà ba mǎ lín gèng jué de yīng gāi hǎo hǎo bǎo hù tā
游起来有些笨拙，爸爸马林更觉得应该好好保护他。

yì zhuǎn yǎn   ní mò dào le gāi shàng xué de nián líng le   bú fàng xīn de mǎ
一转眼，尼莫到了该上学的年龄了，不放心的马

lín   fēi yào qīn zì bǎ ní mò sòng dào xué xiào
林，非要亲自把尼莫送到学校。

zài qù wǎng xué xiào de lù shang   ní mò duì yí qiè dōu
在去往学校的路上，尼莫对一切都

chōng mǎn le hào qí
充满了好奇。

还问爸爸海龟能活多少岁？马林只好说："等下次遇到海龟，我一定帮你问问。

jīng	xìng	líng	yù
精	幸	龄	遇

zài xiào yuán li　　lěi lǎo shī ràng ní mò hé qí tā xiǎo péng yǒu yì qǐ
在校园里，雷老师让尼莫和其他小朋友一起

pá dào tā de bèi shang　　rán hòu dài zhe tā men yóu zǒu le
爬到他的背上，然后带着他们游走了。

léi	qiào	bì	kè
雷	峭	壁	刻

mǎ lín shí fēn bù shě de kàn zhe léi lǎo shī bǎ hái zi men dài zǒu　　yóu
马林十分不舍地看着雷老师把孩子们带走，尤

qí shì tā de ní mò　　kě dāng tā tīng shuō léi lǎo shī yào dài hái zi men qù de
其是他的尼莫。可当他听说雷老师要带孩子们去的

dì fang shì qiào bì shí　　biàn zài yě dāi bu zhù le　　tā yào lì kè bǎ ní mò
地方是峭壁时，便再也待不住了，他要立刻把尼莫

zhǎo huí lái　　yīn wèi nà li zhèng shì shānshān hé hái zi men chū shì de dì fang
找回来。因为那里正是珊珊和孩子们出事的地方！

9

在峭壁边，尼莫和他的新朋友们正朝着停在水面上的一艘船游过去。大家互相比赛，看谁敢游上去，摸一下那艘船。正在这时，马林过来找儿子，他看见尼莫正往船边游过去。

"尼莫，快回来！你以为现在你什么事都能做了吗？你根本就不行！"马林生气地责备起了尼莫。

尼莫根本听不进去爸爸的话，他小声说道："爸爸真烦！"

léi lǎo shī dài zhe bié de hái zi
雷老师带着别的孩子

men yóu le guò lái   ní mò chèn mǎ lín
们游了过来，尼莫趁马林

zhuǎn shēn hé léi lǎo shī shuō huà de gōng fu
转身和雷老师说话的工夫

yóu dào le chuán biān   tā yòng qí shǐ jìn
游到了船边。他用鳍使劲

pāi dǎ zhe chuán biān   fā xiè duì bà ba
拍打着船边，发泄对爸爸

de bù mǎn   tā bù xǐ huan bà ba zǒng bǎ
的不满。他不喜欢爸爸总把

tā dàng zuò yòu xiǎo yòu ruò   shén me shì qing
他当作又小又弱、什么事情

dōu zuò bu liǎo de xiǎo hái zi
都做不了的小孩子。

11

"不好！"尼莫的同学们突然大叫起来，"快过来，尼莫，快过来！不要回头，使劲游！"

马林循声望去，不禁吓呆了——一个潜水员出现在了尼莫的后面。

xià	qián	hū	lán	zhēng
吓	潜	呼	拦	睁

尼莫听到同学们惊慌的叫声，往后看了一眼，却看见了大面具上自己的影子，这才意识到了危险。"爸爸，快救我！"尼莫拼命地呼救。

"快过来，尼莫！"马林一边大声喊叫一边拼命朝儿子冲过去。这时，另一个潜水员挡住了他的去路。就在马林想方设法要从潜水员身边游过去的时候，尼莫已经被第一个潜水员抓住放进了网袋。与此同时，拦住马林去路的潜水员拿出照相机按下了快门，一道闪光刺得马林什么也看不见了。等他能睁开眼的时候，两个潜水员已经带着尼莫游到海面了。

13

mǎ lín yǎn zhēngzhēng de kàn zhe xīn ài de ér zi bèi dài shàng le chuán

马林眼睁睁地看着心爱的儿子被带上了船，

chuán kāi dòng de shí hou yí gè qián shuǐ miàn jù cóng chuán shang diào le xià lái

船开动的时候，一个潜水面具从船上掉了下来。

ní mò mǎ lín zài hǎi miàn shang hū hǎn zhe ér zi de míng zi

"尼莫！"马林在海面上呼喊着儿子的名字，

dāi dāi de kàn zhe nà sōu chuán jiàn jiàn xiāo shī zài mángmáng dà hǎi zhong

呆呆地看着那艘船渐渐消失在茫茫大海中。

què

确

mǎ lín sì chù xún zhǎo ér zi　xiàng tā yù dào de měi yì tiáo
马林四处寻找儿子，向他遇到的每一条

yú dǎ ting chuán de xià luò　yíng miàn guò lái de yì tiáo xiǎo lán yú bǎ
鱼打听船的下落，迎面过来的一条小蓝鱼把

tā zhuàng zài le yí kuài dà yán shí shang　tā jiào duō lì　duō lì gào
他撞在了一块大岩石上，她叫多莉，多莉告

su mǎ lín　tā dí què kàn jiàn le yì sōu chuán　hái rè xīn de péi
诉马林，她的确看见了一艘船，还热心地陪

mǎ lín yì qǐ qù zhǎo nà sōu chuán
马林一起去找那艘船。

健 聚 套

可是马林不知道，多莉有短时健忘症，没过一
会儿，当她转身再看见马林跟着她的时候，立刻不
满地说："你别跟着我啊？大海这么大没有你待的
地方吗？"

马林不解地说："你不是要告诉我船朝哪个方
向走了吗？"

gēn wǒ qù cān jiā jù huì   zěn me yàng   jiù zài zhè shí dà bái
"跟我去参加聚会，怎么样？"就在这时大白

shā bù lǔ sī yǒu hǎo de wèn mǎ lín hé duō lì
鲨布鲁斯友好地问马林和多莉。

　　è   wǒ xǐ huan jù huì   yí dìng hěn yǒu yì si   duō lì kāi xīn
"呃，我喜欢聚会，一定很有意思。"多莉开心

de dā ying le   dàn mǎ lín jué de zhè kě néng shì dà bái shā de quān tào   kě shì
地答应了。但马林觉得这可能是大白鲨的圈套，可是

róng bu dé tā men duō xiǎng   bù lǔ sī jiāng mǎ lín hé duō lì dài dào le yì sōu chén
容不得他们多想，布鲁斯将马林和多莉带到了一艘沉

mò de qián shuǐ tǐng shang
没的潜水艇上。

mǎ lín wéi zhe qián shuǐ tǐng yóu lái yóu qù　　tū rán　　tā fā xiàn le yí gè qián

马林围着潜水艇游来游去，突然，他发现了一个潜

shuǐ miàn jù　　zhèng shì zhuā zǒu ní mò de nà ge qián shuǐ yuán de miàn jù　　mǎ lín hé duō

水面具，正是抓走尼莫的那个潜水员的面具！马林和多

lì bǎ miàn jù ná le guò lái　　fā xiàn miàn jù shang yǒu zì　　huò xǔ zhè xiē zì néng bāng

莉把面具拿了过来，发现面具上有字，或许这些字能帮

tā men zhǎo dào ní mò

他们找到尼莫。

duō lì xiǎng wèn wèn shā yú rèn bú rèn shi zhè xiē zì　　dàn mǎ lín rèn wéi shā yú

多莉想问问鲨鱼认不认识这些字，但马林认为鲨鱼

bìng bù kě　　wèi cǐ liǎng rén zhēng chǎo qǐ lái　　mǎ lín bù xiǎo xīn dǎ zhòng le duō lì

并不可信，为此两人争吵起来，马林不小心打中了多莉

de bí zi　　xiān xuè lì jí cóng duō lì de bí zi lì liú le chū lái　　bù yí huìr

的鼻子，鲜血立即从多莉的鼻子里流了出来，不一会儿，

jiù zài hǎi shuǐ zhong mí sàn kāi lái　　jiù lái yì xiǎo kǒu　　wén dào xuè xīng wèi de bù

就在海水中弥散开来。"就来一小口"闻到血腥味的布

lǔ sī lù chū le xiōng cán de miàn mù　　xiàng yě shòu shì de zhuī gǎn duō lì hé mǎ lín

鲁斯露出了凶残的面目，像野兽似地追赶多莉和马林。

xìn　　shòu

信 兽

19

就在逃命的时候，多莉突然想起该怎么认那些字了。不过现在最要紧的是她和马林该怎样鲨鱼的追杀。她灵机一动，把潜水艇上的一个鱼雷放进了布鲁斯的嘴里。布鲁斯慌忙把鱼雷吐了出来，鱼雷撞上了海底密布的水雷，一声巨响，惊动了整个海洋！

táo	tuō	tǔ
逃	脱	吐

21

与此同时，尼莫被一只大手扔进了他以前从
来没有到过的水里。他在水里游动时总是莫名其
妙地撞上透明的墙壁。尼莫突然看到了一个可

miào

妙

pà de shí tou kū lóu　　hái tīng dào shēn hòu yǒu rén zài dī shēng xì yǔ　kě
怕的石头骷髅，还听到身后有人在低声细语，可

děng tā huí tóu kàn shí　　què shén me rén yě méi yǒu　　zhè li kěn dìng bú shì hǎi
等他回头看时，却什么人也没有。这里肯定不是海

yáng　　nà zì jǐ dào dǐ shì zài nǎ li ne
洋，那自己到底是在哪里呢？

<ruby>稀<rt>xī</rt></ruby> <ruby>医<rt>yī</rt></ruby> <ruby>缸<rt>gāng</rt></ruby>

guò le bù duō jiǔ   jǐ tiáo   qí gǔ guài de yú cóng yì xiē sù
过了不多久，几条稀奇古怪的鱼从一些塑

liào zhí wù hòu miàn yóu le chū lái   tā men shì pào pào   xiǎo táo   piào
料植物后面游了出来，他们是泡泡、小桃、漂

piào xiā xiā tún tún zhè xiē yú kàn dào ní mò shí dōu jué de hěn xīn
漂、虾虾、豚豚。这些鱼看到尼莫时，都觉得很新

qí yīn wèi tā lái zì dà hǎi ní mò yě zhōng yú zhī dào zì jǐ lái dào le
奇，因为他来自大海！尼莫也终于知道自己来到了

yá xiè ěr màn de yú gāng li
牙医谢尔曼的鱼缸里。

zhè wèi yá yī jiù shì zhuā ní mò de nà ge qián shuǐ yuán dāng tā gěi
这位牙医就是抓尼莫的那个潜水员，当他给

bìng rén kàn bìng shí ní mò hé yú gāng li de péng you men biàn yì qǐ kàn tā gōng
病人看病时，尼莫和鱼缸里的朋友们便一起看他工

zuò zhè kě zhēn shi yí gè guài dì fang
作。这可真是一个怪地方。

25

不一会儿，外面飞来了一只叫大嘴哥的鹈鹕，他是鱼缸里鱼儿们的朋友，经常会停下来问候一下。只见大嘴哥用头推开了窗户，谢尔曼医生立刻过来赶他走。惊慌中大嘴哥不小心撞掉了小女孩的照片。

zhāo

招

xiè ěr màn yī shēng bǎ zhào piàn cóng dì shang jiǎn qǐ lái zhuǎn guo shēn qù duì ní
谢尔曼医生把照片从地上捡起来，转过身去对尼

mò shuō   zhè shì dá lā   nǐ de xīn mā ma   gǎn kuài hé tā dǎ gè zhāo hu ba
莫说："这是达拉，你的新妈妈，赶快和她打个招呼吧。

dá lā zhè zhōu jiù   suì le   nǐ shì wǒ sòng gěi tā de shēng rì lǐ wù ò
达拉这周就8岁了，你是我送给她的生日礼物哦。"

yá yī yì zǒu   qí tā de yú lì kè gào su le ní mò yí jiàn kě pà de shì
牙医一走，其他的鱼立刻告诉了尼莫一件可怕的事

qíng   dá lā qù nián yě dé dào le yì tiáo yú zuò lǐ wù   kě shì
情：达拉去年也得到了一条鱼做礼物，可是……

^{tā bǎ nà tiáo yú gěi huó shēngshēng de yáo huàng sǐ le}
……她把那条鱼给活生生地摇晃死了！

^{bù wǒ bú yào hé nà ge nǚ hái zǒu wǒ yào huí qù zhǎo wǒ bà}
"不，我不要和那个女孩走，我要回去找我爸

^{ba ní mò hài pà de jiào hǎn qǐ lái}
爸。"尼莫害怕地叫喊起来。

^{pā ní mò zhuǎn shēn shí bèi qiǎ zài le yú gāng de guò lǜ qì}
"啪！"尼莫转身时被卡在了鱼缸的过滤器

^{kǒu shang bié de yú fēn fēn pǎo guò lái bāng tā zhè shí ní mò tīng dào yǒu shéi}
口上。别的鱼纷纷跑过来帮他。这时尼莫听到有谁

^{zài shuō shéi yě bú yào dòng tā ràng tā zì jǐ lái shuō huà de shì}
在说："谁也不要动他，让他自己来。"说话的是

^{jí gē tā shì yú gāng li de shǒu lǐng}
吉哥，他是鱼缸里的首领。

zhèng　　cán　　kuì
挣　　斩　　愧

吉哥告诉尼莫该怎样从过滤器里挣脱出来，尼

莫却说："我不行，我的鳍受过伤。"

"那又怎么样！"吉哥转过身去给尼莫看他自

己身上受伤的鳍。

尼莫感到很惭愧，听话地按照吉哥说的去做，

最后终于从过滤器里挣脱出来了。

dǐng tiǎo
顶 挑

管 堵 称
guǎn dǔ chēng

这天晚上，虾虾叫醒了尼莫，并把他带到了假火山顶上，其他鱼儿都在那里等着给尼莫举行正式的欢迎仪式。

豚豚告诉尼莫，他也能成为鱼缸水波兄弟会的一员。"如果你可以游过……这个火圈。"豚豚的话里充满了挑衅的意味。

尽管听起来有些吓人，但火圈只不过是一堵泡泡墙，尼莫轻而易举地游过去了。

吉哥向大家宣布："从现在开始，我们称尼莫'鲨鱼饵'。"

jiē xià lái　jí gē bǎ táo lí yú gāng de jì huà gào su le dà huǒ shǒu
接下来，吉哥把逃离鱼缸的计划告诉了大伙儿。首

xiān　tā men yào pò huài guò lù qì　zhè yàng yá yī jiù bù de bù bǎ suǒ yǒu de yú
先，他们要破坏过滤器，这样牙医就不得不把所有的鱼

dōu lāo chū lái fàng zài yí gè sù liào dài li　rán hòu qīng xǐ yú gāng　zhè ge shí hou
都捞出来放在一个塑料袋里，然后清洗鱼缸。这个时候

tā men jiù cóng chuāng hu kǒu chōng chū qù　chóng xīn dé dào zì yóu
他们就从窗户口冲出去，重新得到自由。

32

尼莫是整个计划的重要一员，因为他个子最小，只有他才能游进过滤器，用鹅卵石卡住齿轮。

"鲨鱼饵，"吉哥问尼莫，"你是怎么想的？"

"就这么办吧。"尽管有点儿害怕，可尼莫还是勇气十足地回答道。

在海洋深处，马林和多莉在鱼雷巨响后终于醒了。而此时，潜水艇被挂在了一个海沟上，多莉一不小心将面具掉进了海沟。

他们跟着面具潜到海洋更深处，这时一只身上发出光亮的琵琶鱼出现在他们眼前，光照亮了面具，凶残的琵琶鱼对马林和多莉紧追不舍。"谢尔

34

xī	bǎng
悉	**绑**

màn　　　wò lā bǐ lù　hào　　xī ní　　　　duō lì kàn quán le suǒ yǒu de zì
曼，沃拉比路42号，悉尼。"多莉看全了所有的字。

　　　　　pí pa yú réng rán bù kěn fàng guò mǎ lín hé duō lì　　mǎ lín shè fǎ yòngmiàn
　　　琵琶鱼仍然不肯放过马林和多莉，马林设法用面

jù bǎ pí pa yú bǎng zài le yán shí shang chénggōng táo tuō de mǎ lín hé duō lì tài
具把琵琶鱼绑在了岩石上。成功逃脱的马林和多莉太

kāi xīn le　　　yīn wèi tā menzhōng yú zhī dào le ní mò de qù xiàng
开心了，因为他们终于知道了尼莫的去向。

多莉和马林游到了海面上，马林告诉多莉，他要一个人去悉尼，多莉伤心地哭了起来。

这时，一大群翻车鱼游了过来，他们想看看多莉是不是出了什么事。多莉趁机向他们打听，怎样才能到达悉尼，他们十分乐意地告诉她说：

"你只要顺着东澳洋流游就行了，它们正好可以把你们带到悉尼。"

马林看到多莉帮他找到了去悉尼的方向，心里充满了感激，便带着她再次出发了。就在他们

zhèng zhǔn bèi lí kāi de shí hou　　yì tiáo fān chē yú yóu guò lái tí xǐng duō lì

正准备离开的时候，一条翻车鱼游过来提醒多莉：

pèng dào hǎi gōu de shí hou　　zhí jiē cóng lǐ miàn chuān guò qù　　bú yào

"碰到海沟的时候，直接从里面穿过去，不要

cóng shàng miàn guò

从上面过。"

pèng

碰

mǎ lín hé duō lì shùn zhe dōng ào yáng liú de fāng xiàng yóu qù tā men zhēn
马林和多莉顺着东澳洋流的方向游去，他们真

de pèng dào le hǎi gōu duō lì gào su mǎ lín tā men yīng gāi cóng zhōng jiān yóu guò
的碰到了海沟。多莉告诉马林他们应该从中间游过

qù dàn tā bú jì de wèi shén me yào zhè me zuò le mǎ lín bù tóng yì duō
去，但她不记得为什么要这么做了。马林不同意多

lì de yì jiàn tā jué de cóng shàng miàn yóu guò qù yīng gāi gèng ān quán
莉的意见，他觉得从上面游过去应该更安全。

38

shèng

胜

jié guǒ mǎ lín cuò le　　zài hǎi gōu shàngmiàn　　tā men yù dào le yí dà qún
结果马林错了。在海沟上面，他们遇到了一大群
hǎi zhé　　mǎ lín líng jī yí dòng　zhuǎnshēn duì duō lì shuō　　zhè yàng ba　　wǒ
海蜇。马林灵机一动，转身对多莉说："这样吧，我
men lái chǎng bǐ sài　　shéi xiān yóu guò zhè xiē hǎi zhé shéi jiù huò shèng　　jì zhù bù néng
们来场比赛。谁先游过这些海蜇谁就获胜，记住不能
pèng dào tā men de chù xū　　zhǐ néngcóng tā men shàngmiàn guò
碰到他们的触须，只能从他们上面过。"

39

mǎ lín mǐn jié de duǒ kāi le hǎi zhé
马林敏捷地躲开了海蜇

qún tā dé yì de huí tóu kàn duō lì què fā xiàn duō
群，他得意地回头看多莉，却发现多

lì bìng méi yǒu gēn zhe tā yuán lái duō lì bèi yì zhī hǎi zhé de chù
莉并没有跟着他。原来多莉被一只海蜇的触

xū gěi chán zhù le
须给缠住了。

mǎ lín gǎn jǐn fǎn huí qù jiù duō lì quán rán bú gù zì jǐ
马林赶紧返回去救多莉，全然不顾自己

kě néng bèi zhē shāng de wēi xiǎn zhè huí mǎ lín yòng zì jǐ de qí bǎo
可能被蜇伤的危险。这回马林用自己的鳍保

护着多莉，机灵地冲出了
hù zhe duō lì jī ling de chōng chū le

海蜇群。马林和多莉总算
hǎi zhé qún mǎ lín hé duō lì zǒng suàn

安全地过了这一关，这时
ān quán de guò le zhè yì guān zhè shí

的他们已经是又困又乏。
de tā men yǐ jīng shì yòu kùn yòu fá

而在谢尔曼牙医的鱼缸里，吉哥和尼莫正在向对方诉说着自己的故事。

吉哥给尼莫看他那只受伤的鳍。"这就是我第一次逃跑的代价。"吉哥说。他还告诉尼莫他之前试着跳进马桶。"因为所有的下水道都直通大海，孩子。"吉哥告诉尼莫。

牙医一离开房间，鱼缸里的鱼儿们立刻开始实施逃跑计划。尼莫经过吉哥的指导，顺利地游到了过滤器里面，并用一枚鹅卵石卡住了齿轮——过滤器不能工作了。但就在这时，意外发生了——鹅卵石松动了，尼莫被倒吸了回去，一点点地向过滤器的致命处移动。

tōng shī xī yí
通施吸移

43

^{yú gāng li suǒ yǒu de yú lì kè hé lì bǎ yì zhū sù liào zhí wù cóng shuǐ guǎn lìng}
鱼缸里所有的鱼立刻合力把一株塑料植物从水管另

^{yì tóu de xiǎo kǒu shēn jìn qù   ní mò hǎo bù róng yì cái yǎo zhù le sù liào zhí wù   zài}
一头的小口伸进去，尼莫好不容易才咬住了塑料植物。在

^{ní mò jiù yào bèi fēng yè piàn gěi xī juǎn jìn qù de shí hou   dà huǒr   jí shí de bǎ jīng}
尼莫就要被风叶片给吸卷进去的时候，大伙儿及时地把惊

^{huāng bù yǐ de ní mò lā le chū lái}
慌不已的尼莫拉了出来。

^{táo lí   jì huà méi yǒu chéng gōng   jí gē xīn lǐ fēi cháng guò yì bú qù   tā jué}
逃离计划没有成功，吉哥心里非常过意不去，他觉

^{de shì zì jǐ ràng ní mò xiǎn xiē bǎ mìng diū le}
得是自己让尼莫险些把命丢了。

zhū	yǎo
株	咬

45

此时的大海里，马林和多莉从海蜇群中逃脱后又
幸运地被海龟们救起。等马林醒过来时，发现自己在一
只叫龟龟的海龟的背上。

"小丑鱼大战海蜇群，真是佩服啊！"龟龟被马林
的勇敢深深打动了。

"多莉呢？"马林突然想起了多莉。

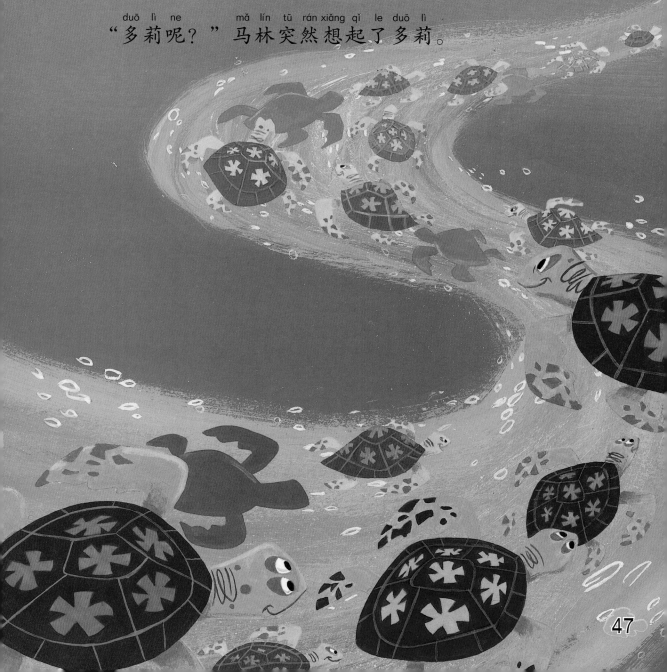

47

其实多莉已经醒了，这会儿正在

和一些小海龟捉迷藏呢，龟龟的儿子小古也在

其中。马林惊奇地发现，龟龟一直在鼓励小古要有

一定的冒险精神，因为他觉得那是孩子们必须学会

的重要课程。看到这些，马林不禁开始反省自己，

以前对尼莫的保护是不是有点儿过分了。

在小海龟们的一再追问下，马林向他们讲起了自己和儿子失散的经历以及自己一路追寻的冒险历程。

gǔ	mào	chéng
鼓	冒	程

xǐng	lì
省	历

49

这位勇敢父亲的故事很快就在整个大海里传开了，从海龟传到箭鱼，从箭鱼传到海豚，从海豚传到海鸥……一直传到了大嘴哥的耳朵里。

大嘴哥听到这个故事后，连忙飞到牙医的办公室，告诉尼莫他刚刚听到的一切。"你老爸与整个海洋英勇决斗，正在到处找你呢。"大嘴哥告诉尼莫。

"我爸爸？"尼莫实在不敢相信自己的耳朵，"真的吗？"

大嘴哥用力点了点头，肯定地说："现在，他正在来悉尼的路上。"

51

ní mò xīng fèn jí le　　kě hěn kuài tā yòu bù yán yu le　　rán hòu
尼莫兴奋极了，可很快他又不言语了。然后，

tā qiāo qiāo de cháo guò lǜ qì yóu guò qù　　zhí jiē yóu dào shuǐ guǎn li　　yòng é luǎn
他悄悄地朝过滤器游过去，直接游到水管里，用鹅卵

shí dǔ zhù le guò lǜ qì de shàn yè　　bìng qiě ān quán de chū lái le
石堵住了过滤器的扇叶，并且安全地出来了。

shā yú ěr　　nǐ chénggōng le　　　jí gē hé yú er men yì qǐ huān
"鲨鱼饵，你成功了！"吉哥和鱼儿们一起欢

hū qǐ lái
呼起来。

qiāo
悄

再过两天达拉就要到了，到时候鱼缸能
变得很脏吗？吉哥、尼莫和其他鱼儿必须想
尽一切办法做到这一点。

和海龟道别时，马林突然想起尼莫以前问他的问题，他赶紧问道："龟龟朋友，你多大了？""150岁！"马林心想，等见到尼莫的时候，首先要把答案告诉他。离开海龟们，马林和多莉继续游啊游，不知

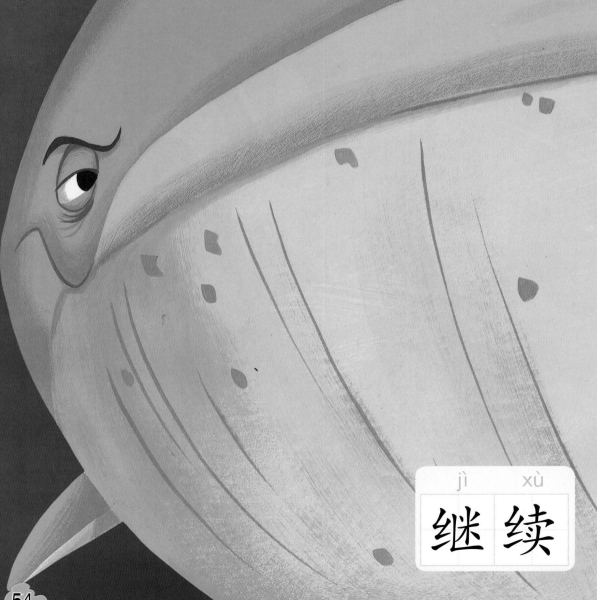

继续

不觉在脏水里迷路了。多莉向一条蓝鲸打听方向，可蓝鲸根本不回答她，还没等他们反应过来，蓝鲸已经把他们吸进了巨大的嘴巴里。

yá yī de yú gāng li cǐ shí yí piàn huān hū què yuè yóu yú guò lǜ qì bèi
牙医的鱼缸里此时一片欢呼雀跃，由于过滤器被

dǔ zhù le yú gāng li de shuǐ yǐ jīng biàn de nián hū hū lǜ yóu yóu de le
堵住了，鱼缸里的水已经变得黏乎乎、绿油油的了。

xiè ěr màn yòng shǒu zhǐ mō le yí xià yú gāng bō li āi ya zhēn shì
谢尔曼用手指摸了一下鱼缸玻璃。"哎呀，真是

zāng sǐ le tā shēng qì de shuō suí hòu jué dìng zài dá lā lái zhī qián bǎ yú
脏死了！"他生气地说，随后决定在达拉来之前把鱼

gāng hǎo hǎo qīng xǐ yí xià
缸好好清洗一下。

yuè
跃

56

　　hái zi　zhǔn bèi hǎo
“孩子，准备好
jiàn nǐ lǎo bà le ma？ jí
见你老爸了吗？”吉
gē wèn ní mò
哥问尼莫。

　　ní mò xīng fèn de diǎn le
尼莫兴奋地点了
diǎn tóu
点头。

zài bù yuǎn chù de xī ní gǎng　　lán jīng bǎ mǎ lín hé duō lì tǔ le chū
在不远处的悉尼港，蓝鲸把马林和多莉吐了出
lái　　tā men yòu huí dào le dà hǎi
来，他们又回到了大海。

wǒ men chéng gōng le　　　　mǎ lín gāo xìng de dà jiào qǐ lái　　　wǒ
"我们成功了！"马林高兴地大叫起来，"我

58

就要找到我儿子了。现在我们得赶紧找到带走他的那条船。"可港口停了好多好多船，连看都看不过来。

马林和多莉找了整整一个晚上。天亮时，多莉已经一点儿力气都没有了。正当马林给多莉鼓劲时，一只鹈鹕飞了过来，把他们带走了。

，<ruby>鱼<rt>yú</rt></ruby><ruby>儿<rt>er</rt></ruby><ruby>们<rt>men</rt></ruby><ruby>醒<rt>xǐng</rt></ruby><ruby>来<rt>lái</rt></ruby><ruby>时<rt>shí</rt></ruby>，<ruby>惊<rt>jīng</rt></ruby><ruby>奇<rt>qí</rt></ruby><ruby>地<rt>de</rt></ruby><ruby>发<rt>fā</rt></ruby><ruby>现<rt>xiàn</rt></ruby><ruby>鱼<rt>yú</rt></ruby><ruby>缸<rt>gāng</rt></ruby>
<ruby>又<rt>yòu</rt></ruby><ruby>变<rt>biàn</rt></ruby><ruby>得<rt>de</rt></ruby><ruby>干<rt>gān</rt></ruby><ruby>净<rt>jìng</rt></ruby><ruby>清<rt>qīng</rt></ruby><ruby>澈<rt>chè</rt></ruby><ruby>了<rt>le</rt></ruby>。<ruby>这<rt>zhè</rt></ruby><ruby>是<rt>shì</rt></ruby><ruby>怎<rt>zěn</rt></ruby><ruby>么<rt>me</rt></ruby><ruby>回<rt>huí</rt></ruby><ruby>事<rt>shì</rt></ruby><ruby>呢<rt>ne</rt></ruby>？<ruby>鱼<rt>yú</rt></ruby><ruby>缸<rt>gāng</rt></ruby><ruby>里<rt>li</rt></ruby><ruby>还<rt>hái</rt></ruby>
<ruby>换<rt>huàn</rt></ruby><ruby>上<rt>shàng</rt></ruby><ruby>了<rt>le</rt></ruby><ruby>一<rt>yí</rt></ruby><ruby>个<rt>gè</rt></ruby><ruby>叫<rt>jiào</rt></ruby><ruby>作<rt>zuò</rt></ruby>"<ruby>2003<rt>hào</rt></ruby><ruby>号<rt></rt></ruby>"<ruby>的<rt>de</rt></ruby><ruby>高<rt>gāo</rt></ruby><ruby>科<rt>kē</rt></ruby><ruby>技<rt>jì</rt></ruby><ruby>新<rt>xīn</rt></ruby><ruby>过<rt>guò</rt></ruby><ruby>滤<rt>lù</rt></ruby><ruby>器<rt>qì</rt></ruby>。

"<ruby>这<rt>zhè</rt></ruby><ruby>肯<rt>kěn</rt></ruby><ruby>定<rt>dìng</rt></ruby><ruby>是<rt>shì</rt></ruby><ruby>牙<rt>yá</rt></ruby><ruby>医<rt>yī</rt></ruby><ruby>昨<rt>zuó</rt></ruby><ruby>晚<rt>wǎn</rt></ruby><ruby>趁<rt>chèn</rt></ruby><ruby>我<rt>wǒ</rt></ruby><ruby>们<rt>men</rt></ruby><ruby>睡<rt>shuì</rt></ruby><ruby>着<rt>zháo</rt></ruby><ruby>的<rt>de</rt></ruby><ruby>时<rt>shí</rt></ruby><ruby>候<rt>hou</rt></ruby><ruby>装<rt>zhuāng</rt></ruby>
<ruby>上<rt>shàng</rt></ruby><ruby>的<rt>de</rt></ruby>。"<ruby>吉<rt>jí</rt></ruby><ruby>哥<rt>gē</rt></ruby><ruby>猜<rt>cāi</rt></ruby><ruby>想<rt>xiǎng</rt></ruby>。

"<ruby>我<rt>wǒ</rt></ruby><ruby>们<rt>men</rt></ruby><ruby>的<rt>de</rt></ruby><ruby>逃<rt>táo</rt></ruby><ruby>离<rt>lí</rt></ruby><ruby>计<rt>jì</rt></ruby><ruby>划<rt>huà</rt></ruby><ruby>又<rt>yòu</rt></ruby><ruby>没<rt>méi</rt></ruby><ruby>有<rt>yǒu</rt></ruby><ruby>成<rt>chéng</rt></ruby><ruby>功<rt>gōng</rt></ruby>！"<ruby>豚<rt>tún</rt></ruby><ruby>豚<rt>tún</rt></ruby><ruby>无<rt>wú</rt></ruby><ruby>精<rt>jīng</rt></ruby>
<ruby>打<rt>dǎ</rt></ruby><ruby>采<rt>cǎi</rt></ruby><ruby>地<rt>de</rt></ruby><ruby>说<rt>shuō</rt></ruby>。"<ruby>现<rt>xiàn</rt></ruby><ruby>在<rt>zài</rt></ruby><ruby>我<rt>wǒ</rt></ruby><ruby>们<rt>men</rt></ruby><ruby>该<rt>gāi</rt></ruby><ruby>怎<rt>zěn</rt></ruby><ruby>么<rt>me</rt></ruby><ruby>办<rt>bàn</rt></ruby><ruby>呢<rt>ne</rt></ruby>？"<ruby>尼<rt>ní</rt></ruby><ruby>莫<rt>mò</rt></ruby><ruby>着<rt>zháo</rt></ruby><ruby>急<rt>jí</rt></ruby>
<ruby>地<rt>de</rt></ruby><ruby>问<rt>wèn</rt></ruby>。

<ruby>正<rt>zhèng</rt></ruby><ruby>在<rt>zài</rt></ruby><ruby>这<rt>zhè</rt></ruby><ruby>时<rt>shí</rt></ruby>，<ruby>办<rt>bàn</rt></ruby><ruby>公<rt>gōng</rt></ruby><ruby>室<rt>shì</rt></ruby><ruby>的<rt>de</rt></ruby><ruby>门<rt>mén</rt></ruby><ruby>开<rt>kāi</rt></ruby><ruby>了<rt>le</rt></ruby>，<ruby>大<rt>dà</rt></ruby><ruby>家<rt>jiā</rt></ruby><ruby>不<rt>bú</rt></ruby><ruby>禁<rt>jīn</rt></ruby><ruby>紧<rt>jǐn</rt></ruby><ruby>张<rt>zhāng</rt></ruby>
<ruby>起<rt>qǐ</rt></ruby><ruby>来<rt>lái</rt></ruby>——<ruby>谁<rt>shéi</rt></ruby><ruby>来<rt>lái</rt></ruby><ruby>了<rt>le</rt></ruby>？<ruby>病<rt>bìng</rt></ruby><ruby>人<rt>rén</rt></ruby>……<ruby>还<rt>hái</rt></ruby><ruby>是<rt>shì</rt></ruby><ruby>达<rt>dá</rt></ruby><ruby>拉<rt>lā</rt></ruby>？

61

鹈鹕在码头上停了下来，准备好好地享用美味的早餐。

"我大老远跑来可不是来给你当早餐的！"马林在鹈鹕的喉咙里大叫着。他和多莉一起朝鹈鹕喉咙的一边挣扎，准备出去。

鹈鹕都快窒息了，马林和多莉趁机逃了出来。马林重重地掉在甲板上，他上气不接下气地说："我们一定要找到我的儿子尼莫。"

cān

餐

待在一旁的大嘴哥瞬间不敢相信自己的耳朵。"尼莫？！他就是闯遍大海无敌手的小丑鱼！"这时，一群海鸥争抢着想把马林和多莉变为自己的口中餐。

"如果你们想活命的话就赶紧跳到我的嘴里来，我可以带你们找到你的儿子。"大嘴哥悄悄地对马林说。

眼看着海鸥马上就要靠近马林和多莉了，大嘴哥一把抓起他们，并在嘴里装了口水，带着他们飞走了。那群海鸥一直跟在大嘴哥的后面，穿过了整个港口。

dà zuǐ gē dài zhe tā men jìng zhí cháo yì sōu fān chuán fēi guò
大嘴哥带着他们径直朝一艘帆船飞过

qù bìng cóng wéi gǎn hé fān de zhōng jiān fēi zǒu le hǎi
去，并从桅杆和帆的中间飞走了。海

ōu men yě xiǎng fēi guò qù méi xiǎng dào tā men de zuǐ ba
鸥们也想飞过去，没想到他们的嘴巴

quán bèi láo láo de zhā zài le fān shang
全被牢牢地扎在了帆上。

shùn qiǎng fān
瞬 抢 帆

65

huī　huǎn　gǔn　pán

挥　缓　滚　盘

jiù zài dà zuǐ gē dài zhe mǎ lín hé duō lì wǎng yá yī de bàn gōng shì fēi qù de shí

就在大嘴哥带着马林和多莉往牙医的办公室飞去的时

hou　xiè ěr màn yǐ jīng bǎ xiǎo wǎng shēn jìn le yú gāng　bǎ ní mò lāo zǒu le　　dà

候，谢尔曼已经把小网伸进了鱼缸，把尼莫捞走了。"大

jiā dōu tiào jìn qù　wǎng xià yóu　　jí gē dà shēng de zhǐ huī dà jiā　suǒ yǒu yú er

家都跳进去，往下游！"吉哥大声地指挥大家。所有鱼儿

dōu tiào jìn le yú wǎng　yú wǎng yí xià jiù cóng yá yī de shǒu shang diào le xià lái

都跳进了渔网，渔网一下就从牙医的手上掉了下来。

kě ní mò hái méi huǎn guò shén　yòu bèi xiè ěr màn dáo qǐ fàng jìn le yí gè sù liào

可尼莫还没缓过神，又被谢尔曼舀起放进了一个塑料

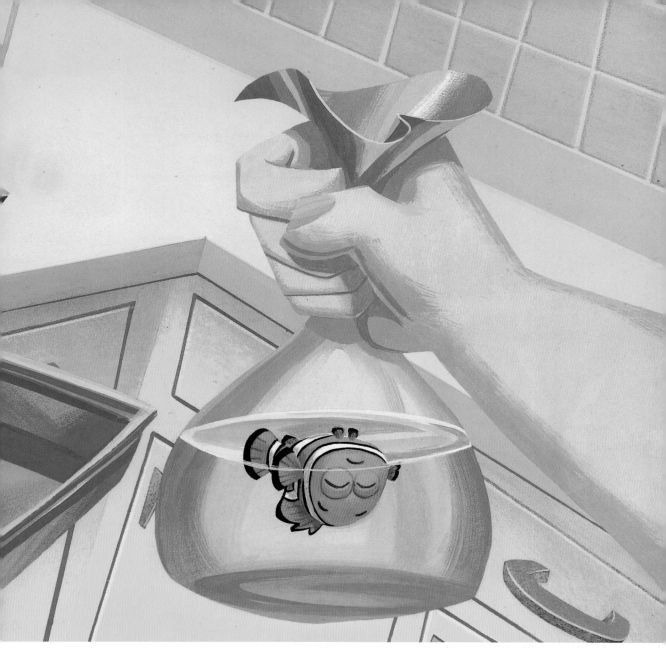

dài li sù liào dài jiù fàng zài yú gāng biān shang
袋里，塑料袋就放在鱼缸边上。

gǔn dòng shǐ jìn gǔn dòng yú er men gào su ní mò ní mò yòng
"滚动，使劲滚动！"鱼儿们告诉尼莫。尼莫用

lì de zài sù liào dài li gǔn lái gǔn qù yá yī fā xiàn sù liào dài zài dòng yì
力地在塑料袋里滚来滚去。牙医发现塑料袋在动，一

bǎ zhuā qǐ sù liào dài fàng dào le yí gè pán zi li ní mò hé péng you men jí de
把抓起塑料袋放到了一个盘子里。尼莫和朋友们急得

tuán tuán zhuàn yīn wèi dá lā mǎ shàng jiù yào dào le
团团转。因为达拉马上就要到了。

guǒ rán　　bù yí huìr　　　dá lā jiù chōng jìn le fáng jiān　　　xiǎo yú　 xiǎo
果然，不一会儿，达拉就冲进了房间。"小鱼！小

yú　xiǎo yú　　　dá lā gāo xìng de jiào le qǐ lái
鱼！小鱼！"达拉高兴地叫了起来。

xiè ěr màn guò lái ná qǐ le sù liào dài　　sù liào dài li de ní mò dù pí cháo
谢尔曼过来拿起了塑料袋，塑料袋里的尼莫肚皮朝

shàng　　　tā zhèng zài zhuāng sǐ ne　　yú gāng li de huǒ bàn men dōu wèi ní mò de cōng míng
上——他正在装死呢！鱼缸里的伙伴们都为尼莫的聪明

jī líng gǎn dào gāo xìng　　yào shi yá yī qù shuǐ chí bǎ ní mò chōng zǒu de huà　　tā jiù
机灵感到高兴。要是牙医去水池把尼莫冲走的话，他就

néng shùn zhe pái shuǐ guǎn yóu zǒu　　　zì yóu zì zài le　　kě shì tā men de huān xǐ shùn jiān
能顺着排水管游走，自由自在了。可是他们的欢喜瞬间

jiù biàn chéng le jǐn zhāng　　yīn wèi xiè ěr màn yī shēng kāi shǐ cháo lā jī tǒng zǒu qù
就变成了紧张，因为谢尔曼医生开始朝垃圾桶走去。

xiū　hōng

修　轰

zhèng qiǎo　　dà zuǐ gē zài zhè ge jié gǔ yǎn chū xiàn zài le chuāng hu biān
正巧，大嘴哥在这个节骨眼出现在了窗户边，

tā fēi jìn le fáng jiān　　yá yī zhuī gǎn dà zuǐ gē shí shùn shǒu bǎ zhuāng yǒu ní mò
他飞进了房间。牙医追赶大嘴哥时顺手把装有尼莫

de sù liào dài zhuàng zài le yí gè jiān jiān de xiū yá gōng jù shang　　sù liào dài kāi
的塑料袋撞在了一个尖尖的修牙工具上，塑料袋开

shǐ lòu shuǐ　　ní mò kàn dào dá lā　　jué dìng zài cì zhuāng sǐ
始漏水。尼莫看到达拉，决定再次装死。

mǎ lín gāng hǎo cóng dà zuǐ gē de zuǐ li kàn jiàn le dù pí cháo shàng de ní
马林刚好从大嘴哥的嘴里看见了肚皮朝上的尼

mò　　tā yǐ wéi ní mò zhēn de fā shēng le bú xìng
莫，他以为尼莫真的发生了不幸。

xiè ěr màn hǎo bù róng yì bǎ dà zuǐ gē hōng le chū qù　　bìng guān
谢尔曼好不容易把大嘴哥轰了出去，并关

shàng le chuāng hu
上了窗户。

“小鱼！”达拉尖叫一声，抓起装有尼莫的塑料袋，一个劲儿地摇晃。这时塑料袋上的洞变得越来越大，尼莫开始往外挣脱。

鱼缸里的鱼儿们觉得他们该帮帮尼莫了，他们一起把吉哥从火山顶上弹了出去……刚好掉在达拉的头上。这招果然管用，达拉尖叫着把袋子松开了。尼莫正好掉在了牙医的盘子里。

吉哥见状又从达拉的头上直接跳到了尼莫身边。

“别忘了代我们向你老爸问好！”吉哥说完使劲用尾巴拍打着牙医的盘子，尼莫飞过达拉伸着的双手，直接掉进了水池，成功地从下水道逃走了。

在悉尼港，大嘴哥把多莉和马林重新放回了大海。马林的心都碎了，他以为尼莫真的死了。他谢过多莉，告诉她现在他们该分道扬镳了。多莉难过极了，现在她已经把马林看成了自己的家人，她再也不想一个人待着了。

"对不起，"马林伤心地说，"我想忘掉这一切。"

zhè shí　　ní mò zhèngshùn zhe wū shuǐ chǔ lǐ chǎng de shuǐ liú jí sù qián jìn
这时，尼莫正顺着污水处理厂的水流急速前进。

zuì hòu tā zhōng yú kàn dào le guāng xiàn　　kě tóng shí hái kàn dào le liǎng zhī jī è de
最后他终于看到了光线，可同时还看到了两只饥饿的

páng xiè bā zī hé bó ní
螃蟹巴兹和伯尼。

ní mò wèi le duǒ kāi tā men de qián zi　　gǎn jǐn yóu zǒu le　　gāng
尼莫为了躲开他们的钳子，赶紧游走了，刚

hǎo hé bà ba cuò guò le
好和爸爸错过了。

sù

速

cóng páng xiè shēn biān táo zǒu hòu　　ní mò chóng xīn yóu huí xī ní gǎng qù zhǎo bà

从螃蟹身边逃走后，尼莫重新游回悉尼港去找爸

ba　　tā zhǎo dào de què shì duō lì　　kě xī duō lì yǐ jīng bú jì de ní mò shì shéi

爸。他找到的却是多莉，可惜多莉已经不记得尼莫是谁

le　　dāng tā kàn dào yí kuài xiě zhe　　xī ní wū shuǐ chǔ lǐ　　de pái zi shí　　tā

了。当她看到一块写着"悉尼污水处理"的牌子时，她

cái jì qǐ le yí qiè　　tā xiǎng　　yí dìng yào ràng ní mò hé tā de bà ba tuán jù

才记起了一切。她想，一定要让尼莫和他的爸爸团聚。

xī

惜

于是，她一刻也不敢停留地带着尼莫往马林游走的方向
yú shì　　tā yí kè yě bù gǎn tíng liú de dài zhe ní mò wǎng mǎ lín yóu zǒu de fāng xiàng
游去。
yóu qù

为了找到马林的准确去向，多莉找巴兹和伯尼帮忙。
wèi le zhǎo dào mǎ lín de zhǔn què qù xiàng　duō lì zhǎo bā zī hé bó ní bāngmáng

"他去周边的渔场了。"两只小螃蟹告诉多莉和尼莫。
tā qù zhōu biān de yú chǎng le　liǎng zhī xiǎo páng xiè gào su duō lì hé ní mò

duō lì hé ní mò guǒ zhēn zài
多莉和尼莫果真在

yú chǎng zhǎo dào le mǎ lín　bú liào yì
渔场找到了马林，不料一

zhāng dà wǎng zhào zhù le duō lì hé yí dà qún
张大网罩住了多莉和一大群

yú　ní mò jiān dìng de duì mǎ
鱼。尼莫坚定地对马

lín shuō　　wǒ men gào su suǒ
林说："我们告诉所

yǒu de yú　ràng tā men yì qǐ
有的鱼，让他们一起

wǎng xià yóu
往下游！"

ní mò　bié kào jìn　mǎ lín kàn jiàn ní mò cháo yú wǎng yóu
"尼莫，别靠近！"马林看见尼莫朝渔网游

qù　jí de dà jiào qǐ lái　wǒ bù xiǎng zài cì shī qù nǐ
去，急得大叫起来，"我不想再次失去你！"

bà ba　xiāng xìn wǒ　wǒ néng zuò dào　ní mò chōng mǎn xìn xīn de shuō
"爸爸，相信我，我能做到。"尼莫充满信心地说。

"没错，"马林终于相信了儿子，"我知道你一定能行。"

　　"大家一起往下游！"尼莫边告诉多莉和其他鱼，边游进了渔网。

　　"大家一起往下游！"马林和多莉齐声说。在大家的共同努力下，渔网终于破了，大家又回到了海洋。可是尼莫去哪儿了呢？

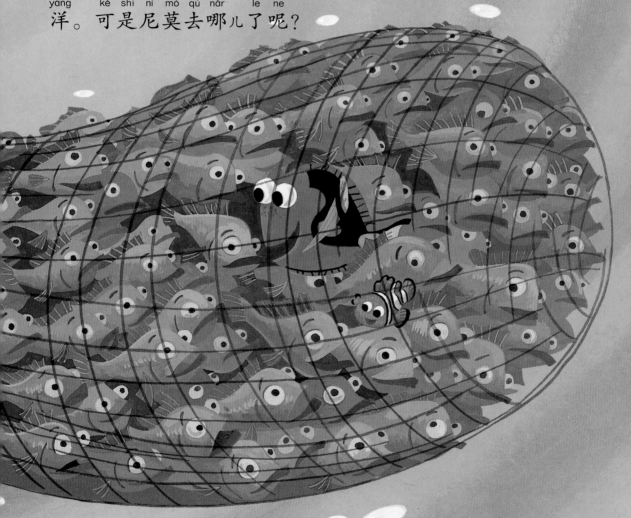

mǎ lín hé duō lì zài kōng kōng de pò wǎng xià miàn zhǎo dào le ní mò   kàn dào
马林和多莉在空空的破网下面找到了尼莫。看到

ní mò zhēng kāi le shuāng yǎn   mǎ lín cái cháng cháng de shū le yì kǒu qì   xiè
尼莫睁开了双眼，马林才长长地舒了一口气。"谢

tiān xiè dì   nǐ zhōng yú xǐng le   mǎ lín guān qiè de kàn zhe ér zi
天谢地，你终于醒了！"马林关切地看着儿子。

lǎo bà   duì bu qǐ   qí shí   wǒ bú shì bù xǐ huan nǐ   ní
"老爸，对不起。其实，我不是不喜欢你。"尼

mò xiǎo shēng de shuō
莫小声地说。

nǐ zhī dào ma   mǎ lín xiào zhe gào su ér zi   wǒ yù dào le
"你知道吗？"马林笑着告诉儿子，"我遇到了

hǎi guī   tā men yǐ jīng   suì le
海龟，他们已经150岁了。"

几个星期后，马林把尼莫送回了学校。当尼莫和别的小朋友玩耍的时候，马林和别的爸爸们也有说有笑。突然，布鲁斯和其他大白鲨带着多莉出现了。当大白鲨和马林打招呼的时候，大家的嘴巴都张得大大的，他们没法相信马林居然不怕凶残的鲨鱼。

hái zi men dōu pá dào le léi lǎo shī de bèi shang zhǔn bèi lái yì chǎng lì xiǎn
孩子们都爬到了雷老师的背上，准备来一场历险

jì   děngděng léi lǎo shī   wǒ wàng le jiàn shì   ní mò shuō
记。"等等，雷老师，我忘了件事。"尼莫说。

ní mò cóng léi lǎo shī de bèi shang xià lái yóu dào bà ba shēn biān   gěi le bà ba
尼莫从雷老师的背上下来游到爸爸身边，给了爸爸

yí gè dà dà de yōng bào   wǒ ài nǐ   lǎo bà   ní mò duì bà ba shuō
一个大大的拥抱。"我爱你，老爸！"尼莫对爸爸说。

ér zi   wǒ yě ài nǐ   mǎ lín jué de zì jǐ xìng fú jí le
"儿子，我也爱你。"马林觉得自己幸福极了。

yōng bào
拥 抱

在悉尼港，吉哥带着鱼缸里的其他鱼也都逃出来了。他们成功地破坏了2003号过滤器，谢尔曼医生不得不再次清洗鱼缸。问题是……他们该怎么从这些塑料袋里跑出来呢？

不用管这些了。重要的是，他们现在都已经得到了自由。

海底总动员

选择正确的答案。

● 马林唯一的儿子叫什么？

 A. 多莉　　　B. 尼莫　　　　C. 漂漂　　　　D. 小桃

● 马林在寻找儿子的过程中发现的第一个线索是什么？

 A. 鱼鳍　　　B. 帽子　　　C. 潜水面具　　　D. 潜水员的鞋

回答下面的问题。

● 尼莫不听爸爸的话执意游到船边，发生了怎样的结果？马林的反应是什么？

_____

_____

● 最后，马林是在什么地方找到尼莫的？之后父子俩上演了哪些感人的画面？

_____

_____

海底总动员

阅 读 理 解

你是怎么和自己的爸爸相处的？你和爸爸之间最难忘的事情是什么？

读完《海底总动员》的故事你有何感想？你想对爸爸说些什么？

海底总动员

生 字 表

页数	生字	组词	页数	生字	组词
P2	澳 ào	澳洲	P6	笨 bèn	笨拙
	斑 bān	斑点、斑马			
	斓 lán	斑斓	P10	烦 fán	麻烦、烦躁
	堡 bǎo	城堡、堡垒			
	礁 jiāo	礁石、暗礁	P11	弱 ruò	弱小、瘦弱
	妻 qī	妻子、夫妻			
	珊 shān	珊瑚		具 jù	工具、具备
			P13	挡 dǎng	抵挡、遮挡
P3	尼 ní	尼姑、尼龙		此 cǐ	此时、此刻
	莫 mò	莫非、神秘莫测			
	葵 kuí	海葵、向日葵	P14	茫 máng	苍茫、茫然
	丛 cóng	丛林、草丛			
	梭 suō	梭鱼、梭子	P15	撞 zhuàng	撞墙、撞倒
				莉 lì	茉莉
P5	鳍 qí	鱼鳍			
			P16	症 zhèng	症状
P6	呵 hē	呵护			

海底总动员

生字表

页数	生字	组词	页数	生字	组词
P17	鲨 shā	鲨鱼	P25	终 zhōng	终点、终于
	鲁 lǔ	粗鲁、鲁菜		尔 ěr	尔后
	斯 sī	斯文		曼 màn	曼妙
	呃 è	呃逆			
	艇 tǐng	舰艇	P26	哥 gē	哥哥
				鹈 tí	鹈鹕
P19	血 xuè	血管			
	弥 mí	弥补、弥漫	P27	达 dá	到达、转达
	凶 xiōng	凶狠、凶残			
P23	骷 kū	骷髅	P28	晃 huàng	摇晃、晃动
				卡 qiǎ	卡子、关卡
P24	泡 pào	泡茶、泡澡		滤 lù	过滤
				吉 jí	吉利、吉祥
P25	豚 tún	海豚	P31	饵 ěr	鱼饵

页数	生字	组词	页数	生字	组词
P32	捞 lāo	打捞	P51	箭 jiàn	火箭
P33	齿 chǐ	牙齿		鸥 ōu	海鸥
P34	沟 gōu	河沟	P53	脏 zāng	脏话、脏字
	琵 pí	琵琶			
P35	沃 wò	肥沃	P55	鲸 jīng	蓝鲸
P39	蜇 zhé	海蜇	P56	黏 nián	黏稠
	触 chù	接触	P58	港 gǎng	港口、香港
P42	价 jià	价格		码 mǎ	码头、码洋
	试 shì	试验	P62	喉 hóu	喉咙
	桶 tǒng	水桶		窒 zhì	窒息
P47	丑 chǒu	小丑	P65	桅 wéi	桅杆
P48	反 fǎn	反对、反正	P66	渔 yú	渔场、渔夫

海底总动员

生 字 表

页数	生字	组词	页数	生字	组词
P66	舀 (yǎo)	舀水、舀子	P76	兹 (zī)	兹事体大
P70	漏 (lòu)	疏漏、漏洞	P80	坚 (jiān)	坚持、坚固
P76	饥 (jī)	饥饿		罩 (zhào)	笼罩、罩住
	螃 (páng)	螃蟹	P81	努 (nǔ)	努力
	躲 (duǒ)	躲避			

海底总动员

流 利 阅 读 第 1 级 总 字 表

本字表为现行小学一至二年级上语文课本总字表，按在课本中出现的顺序排列。

识	字	一	去	二	三	里	课	文	原	烟	村	四	五	家	亭	台
六	七	座	八	九	十	枝	花	口	耳	目	羊	鸟	兔	日	月	火
木	禾	竹	在	沙	发	茶	几	报	纸	书	架	灯	笑	钟	电	视
话	晚	上	爸	看	妈	我	他	跑	送	送	水	果	铃	了	也	操
场	打	球	拔	河	拍	身	高	季	步	草	踢	足	对	声	说	下
真	热	闹	天	锻	蛙	夏	体	穗	弯	芽	鞠	尖	秋	小	人	是
春	荷	叶	圆	青	就	冬	谷	画	中	着	游	躬	儿	雪	鱼	大
肚	子	挺	密	苗	地	绿	排	米	乡	顺	哪	船	最	漂	唱	本
岸	树	密	宽	门	窗	暖	南	屋	后	成	撑	开	要	色	亮	的
瓦	白	有	到	穿	霜	举	香	不	冷	故	更	坐	长	数	静	爷
和	有	棵	疑	洒	遍	田	裳	低	因	为	常	面	条	黑	闪	思
床	明	光	金	谁	捉	住	望	山	宝	影	跟	跟	公	鸡	缎	蓝
阳	像	金	进	朋	尾	比	野	宝	贵	松	鼠	扁	群	颗	狗	晨
拉	帘	它	朋	猫	桃	短	把	个	猴	边	多	笔	多	尺	鸭	右
陪	它	它	猫	奶	肠	红	枣	巾	洗	粉	少	脑	铅	很	堆	雀
黄	牛	朋	从	货	食	膏	毛	阿	姨	用	铅	角	用	萝	作	选
商	包	猫	买	方	些	收	款	椒	瓜	豆	鲜	土	卜	算	业	东
西	从	奶	方	迷	便	茄	辣	老	片	风	走	遥	灭	卷	出	付
钱	买	货	迷	藏	菜	园	越	诉	沿	路	能	清	远	力	心	细
又	笼	方	森	嘴	想	告	老	紫	片	雨	点	积	彩	北	男	休
手	林	迷	旗	众	仪	非	壮	观	久	平	搭	云	借	飘	城	安
广	升	森	仪	想	式	答	呢	没	久	平	搭	积	醒	枕	来	半
空	问	旗	你	回	答											布

海底总动员

流利阅读第 1 级总字表

本字表为现行小学一至二年级上语文课本总字表，按在课文中出现的顺序排列。

总 旺 直 姑 蒲 锹 以 掉 稿 闻 刚 晒 咦 愉 泼 圾 净 捡 箱 惜 莲 坡 咬

物 烧 年 耍 莺 铁 站 关 近 然 张 照 伸 队 活 垃 浇 才 随 泉 嘻 假 蛇

礼 柴 舍 絮 鹃 握 填 赛 写 兰 棉 脚 聪 慢 壶 肃 闭 位 立 呱 虫 蚊

按 添 满 梳 杜 注 挥 精 改 喜 情 摆 离 向 鹿 帚 师 餐 蝉 膀 法 虎

往 赶 造 软 滴 引 移 妙 修 居 孟 乎 事 于 悄 投 石 卵 扫 唐 蕉 鸣 翅 办 哗

正 觉 砍 哟 麻 龄 柏 全 叫 晓 鸢 窝 痒 舒 服 医 佛 鹅 车 备 罐 捕 展 谢 阵

她 累 化 雷 澡 岁 挑 处 射 趁 挠 先 伙 仿 医 佛 鹅 准 饮 欲 坪 机 腰 爬 隆

装 听 瞧 拂 息 亲 员 首 诗 归 忙 帮 脱 珍 捧 茂 推 专 塑 越 袋 绍 喊 振 停

起 歌 却 柳 底 无 肯 容 频 时 古 诗 忙 归 润 病 急 将 蒙 鼻 焦 厨 散 秘 眈

拿 舞 救 册 题 万 仍 意 露 珠 汗 入 论 令 争 教 版 知 让 饭 班 玩 道 趣 难

怎 愁 哎 丽 教 轻 植 坑 战 咿 杨 鞋 干 糕 取 秃 皱 同 睁 袁 蜻 蚂 沾

忘 鸿 甜 教 节 额 士 完 音 醉 童 绢 盖 气 凉 主 埋 眉 围 各 枚 蜒 牧 晶

饭 让 知 教 论 令 汗 脸 入 蹈 童 姥 钻 定 埋 揣 围 摸 工 摸 牧 摇 塘 根

班 玩 道 级 趣 难 珠 露 眈 秘 散 厨 铺 顾 焦 蒙 鼻 介 齐 骑 摇 晶 根 消

拿 舞 救 册 题 万 仍 意 频 古 归 午 润 病 急 将 袋 绍 喊 振 停 搬

起 歌 却 柳 底 无 肯 容 诗 忙 帮 脱 珍 捧 茂 推 专 塑 越 袋 机 轰

熟慌杀王艘科哇另汽规程哧悬轨板蹬极徽弹信径集始洁川相藤示
校缸秤念海楼理苦共分梁稳磁驾怨披怕区抢炸切蔼帜案华芦绳
街司杆刻涛市敢撕概育桥巧制名弟追湖勤著啪橘愣祥献拼呼葫帆
太渐重碑骏勇扑粗宣而划内创忍迎咕梁巨豌须芙橙宁慈庆似锣际号
新瓶柱解雄匹丰滚娜羽习糟并俩驶蒸脊卫鲤愧频臂洼君补览责交涌百纤
转渴堵命害奔翠由练矿臣顶瓢砖弄讲缚蝌孙读膊铠犹李演肩纪传仗吸
傻喝曹革当翠由练矿臣顶瓢砖弄讲缚蝌孙读膊犹李演肩纪传仗吸
掌鸦官导枪碧祖整背咧顶砖励弄讲孙读铠犹李演肩纪传仗吸
候乌国突稻希狮维叔蹦励至叫朗胳纷残困计烂民讯银续
伯哦象坝坦希叔蹦实厢玻鼓唠碎戚图峭胳乘牵悔灿蠢运接抽虽
甩该称席圈充希叔蹦励至叫骨坏朗胳纷残困计烂民讯银续呗
别僵破瑞荡蘑世靠瓣掰煮潜型限盘特驰扔抱跌擎决悔灿蠢运接抽
拨冻砸井敌采贺施夹潜列环缠筋嗤斗扛仙轼院迟及央功湾浅
姐温劲量哨贝淌翻凭表术染幢兄玉其岩苏踮欠普亿厦克喂
逃尝使舷军赤吹管丝浪魔脾镳嘭拦尤状刘丁哈赞优泪治
断伴块沉助滩况洋保拥波叠速通扬玲狸秀形赠株元利奏迹击邻
挣邀吓冲团虾技敬懒记盛遇折浮神咱紧狐省琴察斜零纵鸽胜互盯

海底总动员

本字表为现行小学一至二年级上语文课本总字表，按在课文中出现的顺序排列。

傍	但	糙	凳	獾	猾	硬	待	迫	串	葡	葡	酸	伤	踪	筝	易
期	轮	兽	句	受	吵	福	幸	莓	扎	盒	削	桌	吐	惹	泄	椅
粒	缩	良	逗	代	叽	周	猜	拴	猜	亚	呆	郑	眯	惯	熬	第
州	蓬	妹	份	套	喳	纱	镶	何	裙	则	昨	戏	嬉	康	健	寻
跃	峦	千	潭	踏	慕	汪	客	侧	客	鬓	衰	章	偶	寨	费	寄
攥	碰	幻	映	镜	舟	纹	缓	恩	缓	牌	激	靳	巢	护	棱	灵
雹	网	袍	黎	猎	赏	味	喃	即	喃	篇	雾	父	甚	甚	跨	企
件	缺	牢	钩	退	欣	稍	杯	绝	杯	博	绑	航	死	返	哩	倒
乏		核	鳞	禁	浓	肉	悉	确	悉	养	辨	器	宇	殊	设	喷
					咳	厂	模		模	产	棚	浴	贡	杂	农	稀
					鲟	织										
					历											
					史											
					获